KB095782

초등학교 3~6학년 영어 교과서
전체의 70%가 끝납니다!

확장패턴에서 익히는 것

<아빠표 영어 구구단+파닉스>의 문법으로 초등학교 교과서에 실린 문장 70%를 영작할 수 있다.

초등학교 필수 어휘 800개의 뜻을 모두 알고, 400개 이상 말하고 쓸 수 있다.

아빠표 초등영어 교과서: 확장패턴

1판 2쇄 2021년 12월 14일 / 지은이 Mike Hwang / 발행처 Miklish / 전화 010-4718-1329, 070-7566-9009 / 홈페이지 miklish.com / e-mail iminia@naver.com /
ISBN 979-11-87158-26-4

아빠표

초등영어 교과서
확장패턴

비밀책
2

★ 시작하기 전에
아빠표 영어 구구단 1~10단과
함께 익히거나,
아빠표 영어 구구단을 다 익히고
익히는 것을 추천합니다.

매일 아주 적은 분량(1~4쪽)을
3개월~1년 동안 반복해서 가르쳐주세요.

아빠표 영어 시리즈가 완간될 수 있도록 이끌어주신
여호와 하나님께 감사드립니다.
내가 기뻐하는 금식은 흉악의 결박을 풀어 주며 멍에의 줄을 끌러 주며 압제 당하는 자를 자유하게 하며 모든 멍에를 꺾는 것이 아니겠느냐
또 주린 자에게 네 양식을 나누어 주며 유리하는 빈민을 집에 들이며 헐벗은 자를 보면 입히며 또 네 골육을 피하여 스스로 숨지 아니하는 것이 아니겠느냐
그리하면 네 빛이 새벽 같이 비칠 것이며 네 치유가 급속할 것이며 네 공의가 네 앞에 행하고 여호와의 영광이 네 뒤에 호위하리라
네가 부를 때에는 나 여호와가 응답하겠고 네가 부르짖을 때에는 내가 여기 있다 하리라
만일 네가 너희 중에서 멍에와 손가락질과 허망한 말을 제하여 버리고 주린 자에게 네 심정을 동하며 괴로워하는 자의 심정을 만족하게 하면
네 빛이 흑암 중에서 떠올라 네 어둠이 낮과 같이 될 것이며 여호와가 너를 항상 인도하여 메마른 곳에서도 네 영혼을 만족하게 하며 네 뼈를 견고하게 하리니
너는 물 댄 동산 같겠고 물이 끊어지지 아니하는 샘 같을 것이라 네게서 날 자들이 오래 황폐된 곳들을 다시 세울 것이며
너는 역대의 파괴된 기초를 쌓으리니 너를 일컬어 무너진 데를 보수하는 자라 할 것이며 길을 수축하여 거할 곳이 되게 하는 자라 하리라 (이사야 58:6~12)

Miklish*
.com

차례

초등영어 교과서 핵심 문법 문장 74

교육부 고시 제2015-74호 '초등학교 영어과 교육과정'에서 발췌했습니다.
<아빠표 영어 구구단>으로 익힐 수 있는 문장은 관련된 책(2단~10단)과 이 책(초등영어 교과서)의 해당 페이지를 적었습니다.
중고등 학생 수준의 핵심 문법 문장은 마이클리시 '아빠표 영어 구구단' 게시판에 있습니다.
'초등영어 교과서 핵심 표현 160'은 <아빠표 영어 구구단: 10단>에 있습니다.

2단: 5~8쪽
1 I like gimbap.
2 I like your glasses. What about mine?
3 Open your book.
4 All children love baby animals.
5 Many young people have no money.

3단: 9~12쪽
6 Every monkey likes bananas.

4단: 13~16쪽
7 It's cold outside.
8 It's Wednesday.
9 It's windy today.
10 He is a math teacher.
11 That dog is smart.
12 They're really delicious.
13 She is a teacher, and he's a scientist.
14 Playing baseball is fun.
15 John and Mary are good friends.

5단: 17~20쪽
16 He is sleeping now.
17 This book is very interesting.
18 The store is closed.

6단: 21~24쪽
19 She is going to visit her grandparents next week.

7단: 25~30쪽
20 The baby cried.
21 She stayed in bed.
22 A boy/The boy/The (two) boys ran in the park.

23 Water is very important for life.
24 It's far from here.
25 Kate is from London.
26 He walks to school every day.

8단: 31~34쪽
27 He will help her.
28 I will visit America next year.
29 She can play the violin.

9단: 33~36쪽
30 I don't like snakes.
31 John likes math, but Susan doesn't like it.
32 I am not tired.
33 It isn't very cold.
34 You can't swim here.
35 Tom won't be at the meeting tomorrow.
36 They are my neighbors,
     but I don't know them well.

10단: 37~40쪽
37 Do you like oranges?
38 Does Anne work out on weekends?
39 Are you ready?
40 Is it raining?
41 Can you write a letter in English?
42 Can we sit down in here?
43 When will you come?
44 Where can we take the bus?
45 Why did he leave early?
46 How do you spell your name?
47 Who can answer that question?

확장패턴
48 These/Those books are really large.
49 These are apples, and those are tomatoes.
50 We played soccer yesterday.

아빠표 영어 구구단과 관련 없는 문장
51 We didn't buy much/any food.
52 Which do you like better, this or that?
53 We are very glad to hear from him.
54 It's half past four.
55 We (usually) meet after lunch.
56 You look happy today.
57 Mary is taller than I/me.
58 Did you go fishing last weekend?
59 Let's go to Brian's birthday party.
60 We didn't enjoy the movie very much.
61 Don't you like apples?
62 Whose dolls are these?
63 Which ice cream do you like, vanilla or chocolate?
64 What size is this shirt?
65 What time is it?
66 How old is she?
67 How big is the house?
68 How heavy is your computer?
69 How much is it?
70 May I borrow your book?
71 You may leave now.
72 Andy plays the guitar, and his sister plays the piano.
73 He went to bed because he was sleepy.
74 There are two books on the desk.

명사

일반동사

인칭

be동사

분사

to부정사

전치사

조동사

부정문

의문문

1 What is it?

왈 이ㅈ 잍(ㅌ) = 와리짙: 그것은 무엇이니?

단수 / 복수

a girl
한 소녀

a boy
한 소년

What are they?

왈 얼 데이 = 와럴데이: 그것들은 무엇이니?

girls
소녀들

boys
소년들

a brother/brothers   a sister/sisters   a father/fathers   a mother/mothers   a son/sons   a daughter/daughters

2 What is it?

왈 이ㅈ 잍(ㅌ) = 와ㅈ리짙: 그것은 무엇이니?

What are they?

왈 얼 데이 = 와럴데이: 그것들은 무엇이니?

명사

일반동사

인칭

명사

대명사

전치사

조동사

부정문

의문문

①

a man
한 (성인) 남자

③

men
(성인) 남자들

a woman
한 (성인) 여자

④

women
(성인) 여자들

a child/children

2

명사

3 What is it?

불규칙 변형 2

왈 이ㅈ 잍(ㅌ) = 와리짙: 그것은 무엇이니?

What are they?

왈 얼 데이 = 와럴데이: 그것들은 무엇이니?

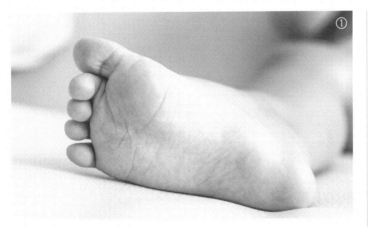

①

a foot

한 발

③

a tooth

한 치아

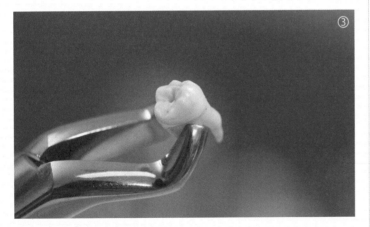

②

feet

발들

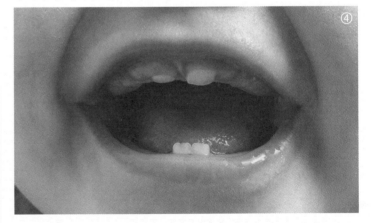

④

teeth

치아들

3   a mouse/mice   goose/geese

명사

4 What is it?

불가산

왈 이ㅈ 잍(ㅌ) = 와리짙: 그것은 무엇이니?

★ 셀 수 없는 것: 그림 그릴 때 형태를 정확히 그리지 않을 정도로 작거나, 보이지 않는 것의 일부, 종류, 사람 이름 등

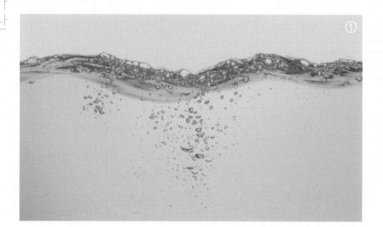

water
물

rice
쌀

music
음악

love
사랑

fire air joy milk oil blood honey beef grass sugar salt bread money homework Korea today

명사

일반동사

인칭

분사

to부정사

전치사

조동사

부정문

의문문

일반동사

5 What do you have?

★ 영어에서 가장 많이 쓰는 구조이며, 주어-동사-목적어(=누가-한다-무엇을) 순서로 단어를 나열한다.
★ '팔들'보다는 '팔', '한 얼굴'보다는 '얼굴'이라고 일컬어서 한 개인지 여러 개인지 구분할 수 있게 연습한다.

신
체

왙 두 유 햅(ㅂ): 너는 무엇을 가지고 있니?

I have arms.
나는 팔을 가진다.

I have eyes.
나는 눈을 가진다.

I have a face.
나는 얼굴을 가진다.

I have a nose.
나는 코를 가진다.

5   hair a brain ears lips a mouth a neck a heart hands fingers legs toes a stomach a body skin

What do you have for lunch?

★ have 다음 음식이 나오면 '가진다'보다는 주로 '먹는다'를 의미한다.

왙 두 유 햅 폴 런취: 너는 점심으로 무엇을 가질(먹을) 것이니?

I have pizza.
나는 피자를 가진다(먹는다).

I have bread.
나는 빵을 가진다.

I have potatoes.
나는 감자들을 가진다.

I have carrots.
나는 당근들을 가진다.

ice cream apples grapes pears strawberries watermelons fruits beans candies cookies pies

명사

일반동사

인칭

분사

전치사

조동사

부정문

의문문

p.5: ① 아이 햅(ㅂ) 앎즈 ② 아이 햅(ㅂ) 아이즈 ③ 아이 해버 페이쓰 ④ 아이 해버 노우즈

7 What subject do you like?

과목

왙 썹젝ㅌ 두 유 라익(ㅋ): 너는 무슨 과목을 좋아하니?

★ 과목은 셀 수 없는 명사이다. 대부분은 앞에 a나 뒤에 s를 붙이지 않는다.
★ P.E.(체육)는 Physical Education의 줄임말이다.

I like Korean.
나는 국어를 좋아해.

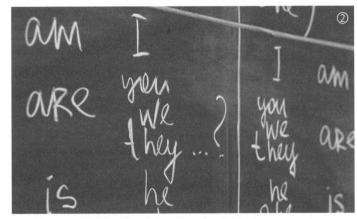

I like English.
나는 영어를 좋아해.

I like math.
나는 수학을 좋아해.

I like music.
나는 음악을 좋아해.

7   art history science P.E. chinese japanese economics ethics

동사

8 How can I go there?

★ 주어(누가: I, You)를 빼고 말하면, you가 생략된 것으로 보고, you에게 행동을 시키는 명령문이다.
★ 페이지 바탕에 색(여기는 연한 주황색)이 있는 것은 어려울 수 있으므로 잘 못하는 학생은 익히지 않아도 좋다.

길찾기

하우 캔 아이 고(우) 데얼: 제가 어떻게 그곳에 갈 수 있나요?

Turn left.
① 왼쪽으로 돌아라.

Turn right.
② 오른쪽으로 돌아라.

Go straight one block.
③ 한 블록을 직진해서 가라.

It's next to the bakery.
④ 그것은 그 빵집 옆에 있다.

③ two blocks ④ on your left / on your right ④ around the corner / across the street

명사

일반동사

인칭

조동사

분사

to부정사

전치사

조동사

부정문

의문문

8

9 What **does he give?**

왈 더ㅈ 히 깁(ㅂ): 그는 무엇을 주니?

p.7: ① 아일라익(ㅋ) 커리언 ② 아일라익(ㅋ) 잉글리쉬 ③ 아일라익(ㅋ) 매ㄸ ④ 아일라익(ㅋ) 뮤직

★ 3인칭 단수의 현재(he, she, it, Mike, a dog 등)는 동사(give)에 -s를 붙인다.

He gives a key.

그는 한 열쇠를 준다.

He gives a book.

그는 한 책을 준다.

He gives an answer.

그는 한 정답을 준다.

He gives a pencil.

그는 한 연필을 준다.

9   a pen   an eraser   a pencil case   a telephone   a crown   a chance   a number   a story   bowls   spoons   flowers

인칭
질병

0 What does she have?

왙 더ㅈ 쉬 햅(ㅂ): 그녀는 무엇을 가지니(무엇으로 아프니)?

★ 주어가 3인칭 단수일 때 have는 haves가 아니라, has로 변한다.

명사

일반동사

인칭

She has a headache.
그녀는 두통을 가진다.

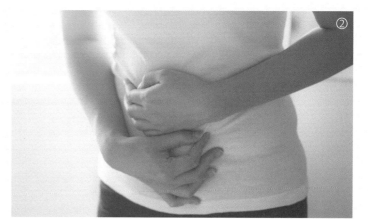

She has a stomachache.
그녀는 복통을 가진다.

부사

She has a runnynose.
그녀는 콧물이 흐르는 것을 가진다.

She has a cold.
그녀는 감기를 가진다.

to부정사

전치사

조동사

부정문

의문문

a toothache a fever a job a friend a lunch box an idea an exam

10

인칭
11 What does she like?
동물
왈 더ㅈ 쉬 라익(ㅋ): 그녀는 무엇을 좋아하니?

★ like 뒤에는 주로 복수(여러 개)명사를 쓴다. 참고로 fish, sheep은 단수/복수 형태가 같다.

She likes cats.
그녀는 고양이들을 좋아한다.

She likes dolphins.
그녀는 돌고래들을 좋아한다.

She likes birds.
그녀는 새들을 좋아한다.

She likes chickens.
그녀는 닭들을 좋아한다.

11   bees ducks rabbits puppies pigs tigers lions horses cows elephants giraffes animals fish sheep

2 What does he play?

왈 더ㅈ 히 플레이: 그는 무엇으로 놀고있니?

p.10: ① 쉬 해저 헤데익(ㅋ) ② 쉬 해저 ㅅ터머케익(ㅋ) ③ 쉬 해저 륀니 노우ㅈ ④ 쉬 해저 코울ㄷ

★ play는 '놀다'라는 뜻이지만, 연주할 때도 쓴다. 연주할 때는 앞에 the를 붙이는 것이 일반적이다.

He plays soccer.
그는 축구를 한다.

He plays badminton.
그는 배드민턴을 한다.

He plays (the) violin.
그는 바이올린을 연주한다.

He plays (the) piano.
그는 피아노를 연주한다.

① baseball football basketball tennis ③ (the) recorder (the) melodion (the) trumpet (the) drums

명사

일반동사

인칭

b동사

분사

ʊ부정사

전치사

조동사

부정문

의문문

12

하우 얼 유: 너는 어떠니?

p.11: ① 쉬 라익ㅆ 캩(ㅊ) ② 쉬 라익ㅆ 덜핀ㅈ ③ 쉬 라익ㅆ 벌ㅈ ④ 쉬 라익ㅆ 취킨ㅈ

★ be동사는 am, are, is 등이 있으며, 뒤에 '상태나 모습'에 대한 말(happy, fine 등)이 나온다는 것을 알려준다.

I'm happy.

나는 행복하다.

I'm fine.

나는 괜찮다.

I'm good.

나는 좋다.

I'm great.

나는 대단히 좋다.

13 nice glad fantastic sick hungry full thirsty clean dirty late afraid sorry shy brave strong curious

4 How **is the food?**

★ 명사(salt)에 y를 붙이면 형용사(salty)가 된다. 모든 명사가 그렇지는 않고, 짧고 쉬운 뜻의 명사에서 주로 그렇다.

맛 **하우 이ㅈ 더 푸ㄷ**: 그 음식은 어떠니?

It's sweet.

그것은 달콤하다.

It's spicy.

그것은 향이 강하다.

It's salty.

그것은 짜다.

It's delicious.

그것은 맛있다.

good bad sour bitter hard soft fresh different

명사

일반동사

인칭

be동사

조사

의문사

전치사

조동사

부정문

의문문

be동사

15 **How** is the weather? ★ 서로 아는 것(사물, 단어, 문장 등)을 가리킬 때 it이나 that을 쓴다. 그래서 weather(날씨) 대신 it을 써서 대답한다.

날
씨

하우 이ㅈ 더 웨덜: 날씨는 어떠니?

It's sunny.
그것은 맑다.

It's cloudy.
그것은 구름이 많다.

It's rainy.
그것은 비가 온다.

It's snowy.
그것은 눈이 온다.

15   wet dry warm cool dark bright foggy windy chilly humid freezing

.6 What is your hobby?

★ 동사에 ing를 붙이면 '~하는 것'이나 '~하는 중인(p.17~18)'을 의미한다. 이 장에서는 '~하는 것'만 의미한다.

왙 이ㅈ 유얼 하비 = 와리ㅈ 유얼 하비 = 왙ㅊ 유얼 하비: 너의 취미는 무엇이니?

My hobby is camping.
내 취미는 캠핑이다.

My hobby is swimming.
내 취미는 수영이다.

My hobby is cooking.
내 취미는 요리이다.

My hobby is reading (books).
내 취미는 (책을) 읽는 것이다.

painting dancing running skiing in-line skating fishing shopping listening to music watching TV

16

분사

17 **What** are they **doing?**

행동 1

왙 얼 데이 두잉: 그들은 무엇을 하는 중이니?

★ 짧은 순간의 움직이는 상태에 관심을 두고 말할 때 be+동사ing를 쓴다.

They're closing a road.

그들은 한 길을 닫는 중이다.

They're singing a song.

그들은 한 노래를 부르는 중이다.

They're taking a picture.

그들은 한 사진을 찍는 중이다.

They're riding bicycles.

그들은 자전거들을 타는 중이다.

crying swimming walking eating fried eggs cooking dinner cleanning the classroom climbing the mountain

분사
8 What **is she** doing?

행동 2

★ 동사에 ing를 붙이면 '~하는 것(p.16)'이나 '~하는 중인'을 의미한다. 이 장에서는 '~하는 중인'만 의미한다.

왈 이ㅈ 쉬 두잉 = 와리ㅈ 쉬 두잉 = 왈ㅊ 쉬 두잉 : 그녀는 무엇을 하고 있니?

She's making a robot.
그녀는 한 로봇을 만드는 중이다.

She's climbing a mountain.
그녀는 한 산을 오르는 중이다.

She's drawing a picture.
그녀는 그림을 그리는 중이다.

She's watching TV.
그녀는 TV를 보는 중이다.

having a contest   fixing the airplane   enjoying the adventure   wearing pants boots gloves socks a cap a hat a skirt

명사

일반동사

인칭

분사

전치사

조동사

부정문

의문문

분사

19 How **is** it?

능동 / 수동 1

하우 이ㅈ 잍(ㅌ): 그것은 어떠니?

★ 동사+ing는 주어(이 장에서는 '그것', it)가 행동을 해서 상대방(나,우리들)이 그런 감정이 느껴지게 만드는 것이다.

It's exciting.
그것은 흥미진진하게 한다.

It's boring.
그것은 지루하게 한다.

It's surprising.
그것은 놀랍게 한다.

It's interesting.
그것은 흥미롭게 한다.

p.18: ① 쉬즈 메이킹 어 로우밭(ㅌ) ② 쉬즈 클라이밍 어 마운튼 ③ 쉬즈 드뤄잉 어 픽춸 ④ 쉬즈 와칭 티비

How are **you?**

하우 얼 유: 너는 어떠니?

★ 동사+ed는 주어(이 장에서는 '나', I)가 그런 감정이 느껴지게 된 것이다.

I'm excited.

나는 흥미진진해졌다.

I'm surprised.

나는 놀랐다.

I'm bored.

나는 지루해졌다.

I'm interested.

나는 흥미로워졌다.

tired

명사

일반동사

인형

부정사

분사

부정사

전치사

조동사

부정문

의문문

to부정사

21 **What do you want to do?**

★ to부정사는 목적어 자리에서 '~하는 것'으로 가장 많이 사용된다.

행동 3

왙 두 유 원 투 두: 너는 무엇을 하기를 원하니?

I want to take / the baby.

나는 그 아기를 데려가기를 원한다.

I want to take / the science class.

나는 그 과학 수업을 갖기를 원한다.

I want to see / my dad.

나는 나의 아빠를 보고 싶다.

I want to try / your cookies.

나는 너의 쿠키들을 맛보기를 원한다.

join the club burn the paper finish the homework hit the ball catch the bug understand the kid

2 What does he want to do?

★ 주어가 3인칭 단수면 동사(want)에 s를 붙여야 한다(wants).

왙 더ㅈ 히 원투 두: 그는 무엇을 하기를 원하니?

행동 4

명사
일반동사
인칭
부사
to부정사
전치사
조동사
부정문
의문문

He wants to read / a book.

그는 한 책을 읽기를 원한다.

He wants to play / in the World Cup.

그는 월드컵에서 경기하기를 원한다.

He wants to travel / around the world.

그는 전 세계 곳곳을 여행하기를 원한다.

He wants to complain / about this.

그는 이것에 대해 불평하기를 원한다.

① have a trip take a bath hunt a bear borrow some money ④ study about the exam take care of them

to부정사

23 **What do you want to be?**

★ be는 am, are, is를 대신해서 대표로 쓰이며, to 뒤에는 am, are, is 대신 be만 써야 한다.

직업

왈 두 유 원투 비: 너는 어떤 사람이 되고 싶니?

I want to be a doctor.
나는 한 의사가 되기를 원한다.

I want to be a teacher.
나는 한 선생님이 되기를 원한다.

I want to be a writer.
나는 한 작가가 되기를 원한다.

I want to be a scientist.
나는 한 과학자가 되기를 원한다.

hero clerk dentist engineer nurse lawyer prince pilot businessman movie star singer fashion designer

24 Why is he(/she) doing this? ★ 문장의 필수 요소(주어-동사-목적어) 뒤의 to부정사는, 대부분 '~하기 위해'를 뜻한다.

와이 이ㅈ 히(/쉬) 두잉 디ㅆ: 왜 그(/그녀)는 이것을 하고 있니?

She's doing this / to study.
그녀는 이것을 하는 중이다/ 공부하기 위해.

He's doing this / to sleep.
그는 이것을 하는 중이다/ 자기 위해.

He's doing this / to say hello.
그는 이것을 하는 중이다 / 인사하기 위해.

She's doing this / to wash her face.
그녀는 이것을 하는 중이다/ 그녀의 얼굴을 씻기 위해.

go home   cut the paper   celebrate the holiday   tell the truth   wrtie a diary   wake up early   ④ brush her hair

명사

일반동사

인칭

동사

분사

to부정사

전치사

조동사

부정문

의문문

전치사

25 When do you do this?

★ A.M.은 Ante Meridiem(정오 앞), P.M.은 Post Meridiem(정오 뒤)의 줄임말이다.

시간

웬 두 유 두 디ㅆ: 언제 너는 이것을 하니?

I eat breakfast / at 7 A.M.

나는 아침식사를 먹는다/ 오전 7시에.

I go to school / at 8 A.M.

나는 학교에 간다/ 오전 8시에

I eat lunch / at 12 P.M.

나는 점심식사를 먹는다/ 오후 12시에.

I come home / at 5 P.M.

나는 집에 온다/ 오후 5시에.

one two three four five six seven eight nine ten eleven twelve **thirteen fourteen one hundred**

전치사

26 Where are you from?

나라/도시

★ 초등학교 교과서에 실린 각 나라와 수도를 담았다.

웨얼 얼 유 프럼: 너는 어디에서 왔니(어디 출신이니)?

I'm from Seoul / in Korea.
나는 서울 출신이다/ 한국에 있는.

I'm from Washington / in America.
나는 워싱턴 출신이다/ 미국에 있는.

I'm from Tokyo / in Japan.
나는 도쿄 출신이다/ 일본에 있는.

I'm from Beijing / in China.
나는 베이징 출신이다/ 중국에 있는.

London in the United Kingdom   Paris in France   Hanoi in Vietnam   Nairobi in Kenya   Mexico City in Mexico

전치사

27 What grade are you in?

★ 1~3까지는 숫자의 이름과 다르지만, 4부터는 뒤에 th를 붙여서 '~번째'를 나타낸다.

학년

왈 ㄱ뤠이ㄷ 얼 유 인: 너는 몇 학년에 속해있니?

I'm in the second grade.
나는 2학년에 속해있다.

I'm in the third grade.
나는 3학년에 속해있다.

I'm in the fifth grade.
나는 5학년에 속해있다.

I'm in the sixth grade.
나는 6학년에 속해있다.

first second third fourth fifth sixth seventh eighth ninth tenth eleventh twelfth thirteenth p.26: ① 아임 프럼 써울 인 커리아 ② 아임 프럼 와싱턴 인 어메뤼카 ③ 아임 프럼 토쿄 인 저팬 ④ 아임 프럼 베이징 인 촤이나

치사
8 When is the day?
날
짜
웬 이ㅈ 더 데이: 그 날은 언제니?

명사

일반동사

인칭

의문사

분사

to부정사

전치사

조동사

부정문

의문문

It's on January 1st. (New Year's Day)
그것은 1월 1일이다. (새해 첫날)

It's on May 5th. (Children's Day)
그것은 5월 5일이다. (어린이날)

It's on December 25th. (Christmas)
그것은 12월 25일이다. (크리스마스)

It's on _____ _____. (your birthday)
그것은 o월 o일이다. (당신의 생일)

January February March April May June July August September October November December

28

조동사
29 What will you do?

행동 6

왈 윌 유 두: 너는 무엇을 할 것이니?

I will take the girl.
나는 그 소녀를 데려갈 것이다.

I will sell the fish.
나는 그 물고기를 팔 것이다.

Where will you go?

웨얼 윌 유 고우: 너는 어디에 갈 것이니?

I will go to the sea.
나는 그 바다에 갈 것이다.

I will go to London.
나는 런던에 갈 것이다.

① push the button   ② go to the beach/bank/airport/church/concert/farm/bathroom/country/academy/castle/forest

동사
0 What can you do?

행동 7

왙 캔 유 두: 너는 무엇을 할 수 있니?

★ can은 현재의 가능성을, will은 현재의 의지를 나타낸다.

I can help you.
나는 너를 도울 수 있다.

I can study English.
나는 영어를 공부할 수 있다.

I can send a message.
나는 문자를 보낼 수 있다.

I can visit my grandparents.
나는 나의 조부모님(할아버지, 할머니) 댁을 방문할 수 있다.

③ join a book club   ride the ship/subway/helicopter   cross the bridge   read many books   taste many foods

영사
일반동사
인칭
명사
형부정사
전치사
조동사
부정문
의문문

30

p.29:

조동사

31 What do you have to do?

행동 8

왈 두 유 햅 투 두: 너는 무엇을 해야하니?

★ have to는 '(이유가 있어서) ~해야 한다'를 의미한다.

I have to buy / the tickets.

나는 사야 한다/ 그 표들을.

I have to wear / a swimming cap.

나는 입어야 한다/ 한 수영 모자를.

I have to wait / in line.

나는 기다려야 한다/ 줄에서(줄 서서).

I have to be quiet.

나는 조용해야 한다.

31   fill in the blanks   collect the coins   wear jeans   take a break   put in the battery   arrive by 5

2 **What are you going to do?**

★ be going to는 '앞으로 뻔하게(당연히) 할 것'이라는 뜻으로 쓴다.

왙 얼 유 고잉 투 두: 너는 무엇을 (당연히) 할 것이니?

동사
2 행
동
9

①

I'm going to plant / a tree.
나는 (당연히) 심을 것이다/ 한 나무를.

②

I'm going to ask / a question.
나는 (당연히) 물어볼 것이다/ 한 질문을.

I'm going to meet / my friends.
나는 (당연히) 만날 것이다/ 나의 친구들을.

④

I'm going to build / a bird house.
나는 (당연히) 지을 것이다/ 한 새집을.

명사

일반동사

인칭

대명사

분사

to부정사

전치사

조동사

부정문

의문문

① return a balloon   carry a bottle   ③ place my clock   change my mind

32

부정문

상태 2

33 How are you?

하우 얼 유: 너는 어떠니?

How is it? ★ be동사 뒤에 not을 붙여 '아니라는 뜻'을 표현한다.

하우 이ㅈ 잍: 그것은 어떠니?

I'm not happy.
나는 행복하지 않다.

I'm not cold.
나는 춥지 않다.

It's not yours.
그것은 너의 것이 아니다.

It's not fair.
그것은 공평하지 않다.

33   poor mad lazy slow/fast short/long tall ugly/handsome low/high light/heavy fat little/big small/large

34 Why don't you eat?

정문

음식 2

와이 돈 츄 잍(ㅌ): 왜 먹지 않니(먹는 것이 어떠니)?

★ be동사를 쓰지 않는 경우 do not을 써서 '아니라는 뜻'을 표현한다. don't는 do not을 줄인 것이다.

I don't like pizza.
나는 피자를 좋아하지 않는다.

I don't like salad.
나는 샐러드를 좋아하지 않는다.

I don't like meat.
나는 고기를 좋아하지 않는다.

I don't like vegetables.
나는 채소를 좋아하지 않는다.

bananas kiwis eggs milk cheese fish

부정문

35 What can't it do?

가능

왙 캔ㅌ 잍 두: 그것은 무엇을 할 수 없니?

★ can not을 줄여서 can't로 쓴다.

It can't jump.
그것은 펄쩍 뛸 수 없다.

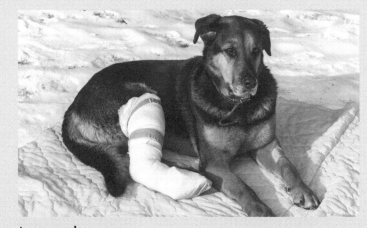

It can't hear.
그것은 들을 수 없다.

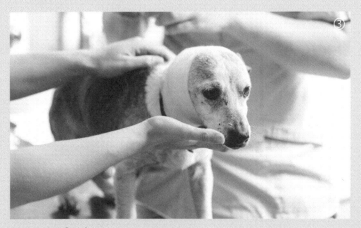

It can't run.
그것은 달릴 수 없다.

It can't fly.
그것은 날 수 없다.

move smell eat learn grow bite feel stand up

6 What do we have to say?

왙 두 위 햅 투 쎄이: 우리는 무엇을 말해야 하니?

★ don't부터 문장이 시작하면 하지 말라는 명령문이다.

Don't run.

뛰지 마라.

Don't enter.

들어가지 마라.

Don't waste / your food.

낭비하지 마라/ 너의 음식을.

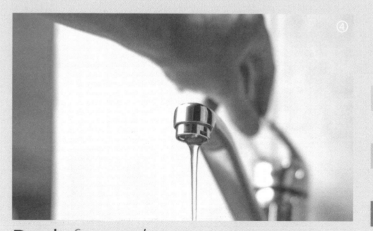

Don't forget / to save water.

잊지 마라/ 물을 아끼는 것을.

①die lie ③drop the ball enter the gate cover the ice touch my computer kill anything advise me agree with him p.35: ① 잍 캔ㅌ 쥠ㅍ ② 잍 캔ㅌ 륀 ③ 잍 캔ㅌ 히얼 ④ 잍 캔ㅌ 플라이

37 What do we have to ask?

★ be 동사를 주어 앞에 쓰면 묻는 문장이 된다.
★ 평서문(You're sad) 먼저 연습하고 의문문(Are you sad?)으로 바꿔본다.

상태 2

왙 두 위 햅 투 애ㅅㅋ: 우리는 무엇을 물어봐야 하니?

Are you sad?
너는 슬프니?

Are you ready?
너는 준비됐니?

Is this your ball?
이것은 너의 공이니?

Are you good / at writing?
너는 글쓰기를 잘하니?

37 ① upset smart certain famous kind fun ③ your cap / coat / hat / scarf / shirt / skirt ④ free on Sunday busy now

What does she say?

왈 더ㅈ 쉬 쎄이: 그녀는 무엇을 말하니?

p.36: ① 도운ㅌ 뤤 ② 도운ㅌ 엔털 ③ 도운ㅌ 웨이ㅅㅌ 유얼 푸ㄷ ④ 도운ㅌ 폴겥 투 쎄이ㅂ 워럴(/워털)

★ 조동사(do, will can)를 주어 앞에 쓰면 묻는 문장이 된다.
★ 평서문(You want some water?)을 먼저 연습하고 의문문(Do you want some water?)으로 바꿔본다.

Do you want some water?
너는 약간의 물을 원하니?

Do you like these shoes?
너는 이 신발들을 좋아하니?

Can I touch the parrot?
제가 그 앵무새를 만질 수 있나요?

Can I see the picture?
제가 그 그림을 볼 수 있을까요?

① hurry up ③ plan the future   sit here   meet your husband/lady/son/boss/family/parents   take care of the bomb

명사

일반동사

인칭

분사

to부정사

전치사

조동사

부정문

의문문

의문문
39 What does she say?

지시 대명사

왙 더ㅈ 쉬 쎄이: 그녀는 무엇을 말하니?

★ 가까이 있는 것은 this(한 개)/these(여러 개)를, 멀리 있는 것은 that(한 개)/those(여러 개)를 쓴다.

What is this?
이것은 무엇이니? (대답: This is a book.)

What is that?
저것은 무엇이니? (대답: That is a bag.)

What are these?
이것들은 무엇이니? (대답: These are pencils.)

What are those?
저것들은 무엇이니? (대답: Those are books.)

39   monkey/monkeys puppy/puppies cart/carts angel/angels bone/bones gift/gifts leaf/leaves

문문
40
의문사

What do we ask?

왈 두 위 애ㅅㅋ: 우리는 무엇을 묻니?

★ 37~38쪽에 나온 의문문을 충분히 연습하고, 더 어려운 40쪽을 익히는 것을 추천한다.

명사

일반동사

인칭

be동사

분사

to부정사

전치사

조동사

부정문

의문문

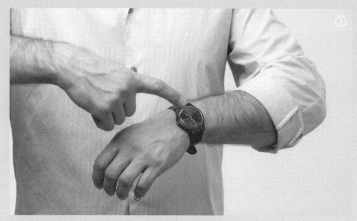

Where is the watch?
어디에 그 손목시계가 있니?

Why are you happy?
왜 너는 행복하니?

How can I get there?
어떻게 내가 거기에 갈 수 있니?

When is your birthday?
언제가 너의 생일이니?

① Where is the company/cinema/college/store/library/garden? ② Why are you lucky/stressed?

a girl

① 한 소녀

② 소녀들

③ 한 소년

④ 소년들

p.40: ① 웨어리ᄌ 더 왈취 ② 와이 얼 유 해피 ③ 하우 캔 아이 겥 데얼 ④ 웬 이ᄌ 유얼 벌ᄄ데이

a man

① 한 (성인) 남자

② (성인) 남자들

③ 한 (성인) 여자

④ (성인) 여자들

명사

일반동사

인칭

의문

분사

to부정사

전치사

조동사

부정문

의문문

42

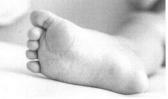

a foot

① 한발

② 발들

③ 한 치아

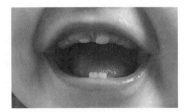

④ 치아들

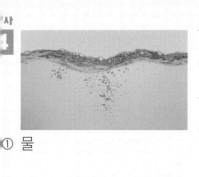

① 물

W

명사

② 쌀

일반동사

인칭

대명사

③ 음악

분사

to부정사

전치사

조동사

④ 사랑

부정문

의문문

I h

① 나는 팔들을 가진다.

② 나는 눈들을 가진다.

③ 나는 한 얼굴을 가진다.

④ 나는 한 코를 가진다.

I h

① 나는 피자를 가진다(먹는다).

명사

일반동사

인칭

분사

b부정사

전치사

조동사

부정문

의문문

② 나는 빵을 가진다.

③ 나는 감자들을 가진다.

④ 나는 당근들을 가진다.

① 나는 국어를 좋아해.

② 나는 영어를 좋아해.

③ 나는 수학을 좋아해.

④ 나는 음악을 좋아해.

① 왼쪽으로 돌아라.

② 오른쪽으로 돌아라.

③ 한 블록을 직진해서 가라.

④ 그것은 빵집 옆에 있다.

명사

일반동사

인칭

의동사

분사

to부정사

전치사

조동사

부정문

의문문

48

He

① 그는 한 열쇠를 준다.

② 그는 한 책을 준다.

③ 그는 한 정답을 준다.

④ 그는 한 연필을 준다.

S h

① 그녀는 두통을 가진다.

② 그녀는 복통을 가진다.

③ 그녀는 콧물이 흐르는 것을
가진다.

④ 그녀는 감기를 가진다.

명사

일반동사

인칭

분사

to부정사

전치사

조동사

부정문

의문문

50

S   l

① 그녀는 고양이들을 좋아한다.

② 그녀는 돌고래들을 좋아한다.

③ 그녀는 새들을 좋아한다.

④ 그녀는 닭들을 좋아한다.

He plays

① 그는 축구를 한다.

② 그는 배드민턴을 한다.

③ 그는 바이올린을 연주한다.

④ 그는 피아노를 연주한다.

① 나는 행복하다.

② 나는 괜찮다.

③ 나는 좋다.

④ 나는 아주 좋다.

① 그것은 달콤하다.

② 그것은 향이 강하다.

③ 그것은 짜다.

④ 그것은 맛있다.

명사

일반동사

인칭

be동사

분사

to부정사

전치사

조동사

부정문

의문문

① 그것은 맑다.

② 그것은 구름이 많다.

③ 그것은 비가 온다.

④ 그것은 눈이 온다.

① 내 취미는 캠핑이다.

② 내 취미는 수영이다.

③ 내 취미는 요리이다.

④ 내 취미는 (책을) 읽는 것이다.

명사

일반동사

인칭

be동사

분사

to부정사

전치사

조동사

부정문

의문문

① 그들은 한 길을 닫는 중이다.

② 그들은 한 노래를 부르는 중
이다.

③ 그들은 한 사진을 찍는 중이다.

④ 그들은 자전거들을 타는 중
이다.

S   m

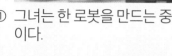

① 그녀는 한 로봇을 만드는 중
   이다.

② 그녀는 한 산을 오르는 중이다.

③ 그녀는 그림을 그리는 중이다.

④ 그녀는 TV를 보는 중이다.

명사

일반동사

연결

분사

to부정사

전치사

조동사

부정문

의문문

① 그것은 흥미진진하게 한다.

② 그것은 지루하게 한다.

③ 그것은 놀랍게 한다.

④ 그것은 흥미롭게 한다.

I ∴

① 나는 흥미진진해졌다.

② 나는 지루해졌다.

③ 나는 놀랐다.

④ 나는 흥미로워졌다.

명사

일반동사

인칭

be동사

분사

to부정사

전치사

조동사

부정문

의문문

I w

① 나는 그 아기를 데려가기를
원한다.

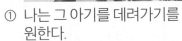

② 나는 그 과학 수업을 갖기를
원한다.

③ 나는 나의 아빠를 보고 싶다.

④ 나는 너의 쿠키들을 맛보기
를 원한다.

H w

① 그는 한 책을 읽기를 원한다.

② 그는 월드컵에서 경기하기를 원한다.

③ 그는 전 세계 곳곳을 여행하기를 원한다.

④ 그는 이것에 대해 불평하기를 원한다.

명사

일반동사

인칭

비인칭

명사

to부정사

전치사

조동사

부정문

의문문

62

I w

① 나는 한 의사가 되기를 원한다.

② 나는 한 선생님이 되기를 원
한다.

③ 나는 한 작가가 되기를 원한다.

④ 나는 한 과학자가 되기를 원
한다.

S d

① 그녀는 이것을 하는 중이다/
공부하기 위해.

② 그는 이것을 하는 중이다/
자기 위해.

③ 그는 이것을 하는 중이다 /
인사하기 위해.

④ 그녀는 이것을 하는 중이다/
그녀의 얼굴을 씻기 위해.

명사

일반동사

인칭

to부정사

전치사

조동사

부정문

의문문

① 나는 아침식사를 먹는다/
오전 7시에.

② 나는 학교에 간다/
오전 8시에.

③ 나는 점심식사를 먹는다/
오후 12시에.

④ 나는 집에 온다/
오후 5시에.

I r

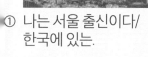

① 나는 서울 출신이다/
한국에 있는.

② 나는 워싱턴 출신이다/
미국에 있는.

③ 나는 도쿄 출신이다/
일본에 있는.

④ 나는 베이징 출신이다/
중국에 있는.

명사

일반동사

인칭

분사

b부정사

전치사

조동사

부정문

의문문

① 나는 2학년에 속해있다.

② 나는 3학년에 속해있다.

③ 나는 5학년에 속해있다.

④ 나는 6학년에 속해있다.

① 그것은 1월 1일이다.
(새해 첫날)

② 그것은 5월 5일이다.
(어린이날)

③ 그것은 12월 25일이다.
(크리스마스)

④ 그것은 o월 o일이다.
(당신의 생일)

명사

일반동사

인칭

분사

to부정사

전치사

조동사

부정문

의문문

I w

① 나는 그 소녀를 데려갈 것이다.

② 나는 그 바다에 갈 것이다.

③ 나는 그 물고기를 팔 것이다.

④ 나는 런던에 갈 것이다.

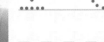

① 나는 너를 도울 수 있다.

② 나는 영어를 공부할 수 있다.

③ 나는 문자를 보낼 수 있다.

④ 나는 나의 조부모님 댁을
방문할 수 있다.

I h

① 나는 사야 한다/
그 표들을.

② 나는 입어야 한다/
한 수영 모자를.

③ 나는 기다려야 한다/
줄에서(줄 서서).

④ 나는 조용해야 한다.

명사

일반동사

인칭

~~~~~

비교

to부정사

전치사

조동사

부정문

의문문

① 나는 (당연히) 심을 것이다/
한 나무를.

② 나는 (당연히) 물어볼 것이다/
한 질문을.

③ 나는 (당연히) 만날 것이다/
나의 친구들을.

④ 나는 (당연히) 지을 것이다/
한 새집을.

I .... n .

① 나는 행복하지 않다.

② 그것은 너의 것이 아니다.

③ 나는 춥지 않다.

④ 그것은 공평하지 않다.

① 나는 피자를 좋아하지 않는다.

② 나는 샐러드를 좋아하지 않
는다.

③ 나는 고기를 좋아하지 않는다.

④ 나는 채소를 좋아하지 않는다.

명사

일반동사

인칭

분사

to부정사

전치사

조동사

부정문

의문문

74

I c

① 그것은 펄쩍 뛸 수 없다.

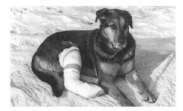

② 그것은 달릴 수 없다.

③ 그것은 들을 수 없다.

④ 그것은 날 수 없다.

Don't   r

① 뛰지 마라.

② 들어가지 마라.

③ 낭비하지 마라/
너의 음식을.

④ 잊지 마라/
물을 아끼는 것을.

명사

일반동사

인칭

의문대명사

분사

to부정사

전치사

조동사

부정문

의문문

A y

① 너는 슬프니?

② 너는 준비됐니?

③ 이것은 너의 공이니?

④ 너는 글쓰기를 잘하니?

Dy

① 너는 약간의 물을 원하니?

② 너는 이 신발들을 좋아하니?

③ 제가 그 앵무새를 만질 수 있나요?

④ 제가 그 그림을 볼 수 있을까요?

명사

일반동사

인칭

일반동사

부사

to부정사

전치사

조동사

부정문

의문문

① 이것은 무엇이니?

② 저것은 무엇이니?

③ 이것들은 무엇이니?

④ 저것들은 무엇이니?

① 어디에 그 손목시계가 있니?

② 왜 너는 행복하니?

③ 어떻게 내가 거기에 갈 수
있니?

④ 언제가 너의 생일이니?

명사

일반동사

인칭

be동사

관사

to부정사

전치사

조동사

부정문

의문문

초등학교 필수 영단어 800

#	단어	뜻	#	단어	뜻
1	a	한	159	cat	고양이
2	A.M. / a.m.	새벽(시간)	160	catch	잡다
3	about	~에 대해	161	certain	확실한
4	above	~의 위에	162	chain	사슬
5	academy	학원	163	chair	의자
6	accent	억양	164	chance	기회
7	accident	사고	165	change	변화(시키다)
8	across	~의 건너에	166	cheap	저렴한
9	act	행동(하다)	167	check	확인하다
10	add	더하다	168	child	어린이
11	address	주소,말하다	169	choose	고르다
12	adult	성인	170	church	교회
13	adventure	모험	171	cinema	극장
14	advise	조언하다	172	circle	원
15	afraid	두려운	173	city	도시
16	after	~이후에	174	class	학급
17	afternoon	오후	175	classroom	교실
18	again	다시	176	clean	깨끗한, 청소하다
19	against	~에 반대하여	177	clear	명백한
20	age	나이, 시대	178	clerk	성직자
21	ago	전에	179	clever	영리한
22	agree	동의하다	180	climb	오르다
23	ahead	앞서서	181	clip	핀
24	air	공기	182	clock	시계
25	airline	항공사	183	close	닫다, 가까운
26	airplane	비행기	184	cloth	옷감
27	airport	공항	185	cloud	구름
28	all	모두	186	club	동호회
29	almost	거의	187	coin	동전
30	alone	홀로	188	cold	추운
31	along	~을 따라	189	collect	모으다
32	aloud	소리가 크게	190	college	대학
33	already	이미	191	colo(u)r	색깔
34	alright	괜찮은	192	come	오다
35	also	또한	193	comedy	희극
36	always	항상	194	company	회사
37	and	그리고	195	concert	공연
38	angel	천사	196	condition	상태
39	anger	화(나게 하다)	197	congratulate	축하하다
40	animal	동물원	198	contest	대회
41	another	다른 하나의	199	control	통제하다
42	answer	대답(하다)	200	cook	요리하다,요리사
43	ant	개미	201	cookie	쿠키
44	any	(혹시) 어떤	202	cool	시원하다
45	apple	사과	203	copy	복사(하다)
46	area	지역	204	corner	모퉁이
47	arm	팔	205	cost	값(이 나가다)
48	around	~의 주변에	206	cotton	면
49	arrive	도착하다	207	could	~할 수도 있(었)다
50	art	예술, 미술	208	country	나라, 시골
51	as	~로서, ~할 때	209	countryside	시골지역
52	ask	묻다	210	couple	두 사람, 두 개
53	at	~의 지점에	211	cousin	친척
54	aunt	고모	212	cover	덮다, 덮개
55	away	떨어져서	213	cow	소
56	baby	아기	214	crazy	미친
57	back	등, 뒤로	215	cross	건너다, 십자가
58	background	배경	216	crowd	군중
59	bad	나쁜	217	crown	왕관
60	bake	굽다	218	cry	울다, 소리치다
61	ball	공	219	culture	문화
62	balloon	풍선	220	curious	호기심 많은
63	band	끈, 악단	221	curtain	장막
64	bank	은행	222	customer	고객
65	base	기초	223	cut	자르다
66	baseball	야구	224	cute	귀여운
67	basic	기초의	225	cycle	자전거, 순환
68	basket	바구니	226	dad	아빠
69	basketball	농구	227	dance	춤(추다)
70	bat	박쥐	228	danger	위험
71	bath	목욕하다	229	dark	어두운
72	bathroom	욕실	230	date	날짜, 데이트하다
73	battery	건전지	231	daughter	딸
74	battle	전투	232	day	날
75	be	상태나 모습이다	233	dead	죽은
76	beach	해변	234	death	죽음
77	bean	콩	235	decide	결정하다
78	bear	낳다, 곰	236	deep	깊은
79	beauty	아름다움	237	delicious	맛있는
80	because	~하기 때문에	238	dentist	치과의사
81	become	~이 되다	239	design	고안하다
82	bed	침대	240	desk	책상
83	bedroom	침실	241	dialog(ue)	대화
84	bee	벌	242	diary	일기
85	beef	소고기	243	die	죽다
86	before	~의 전에	244	different	다른
87	begin	시작하다	245	difficult	어려운
88	behind	~의 뒤에	246	dinner	저녁식사
89	believe	믿다	247	dirty	더러운
90	bell	종	248	discuss	토론하다
91	below	~의 아래에	249	dish	그릇, 요리
92	beside	~의 옆에	250	divide	나누다
93	between	~의 사이에	251	do	(행동)하다
94	bicycle	자전거	252	doctor	의사
95	big	큰	253	dog	개
96	bill	지폐	254	doll	인형
97	bird	새	255	dolphin	돌고래
98	birth	탄생	256	door	문
99	birthday	생일	257	double	두 배
100	bite	물다	258	down	아래로
101	black	검정색	259	draw	그리다, 끌다
102	block	사각 덩어리, 막다	260	dream	꿈(꾸다)
103	blood	피	261	drink	마시다, 음료수
104	blue	파란색	262	drive	운전하다
105	board	(넓은)판	263	drop	떨어트리다, 물방울
106	boat	배	264	dry	마른, 말리다
107	body	몸	265	duck	오리
108	bomb	폭탄	266	during	~동안에
109	bone	뼈	267	ear	귀
110	book	책	268	early	이른
111	boot	장화	269	earth	지구, 땅
112	borrow	빌려오다	270	east	동쪽(의)
113	boss	상관, 대장	271	easy	쉬운
114	both	둘 다	272	eat	먹다
115	bottle	병	273	egg	달걀
116	bottom	바닥	274	elementary	초급의
117	bowl	그릇	275	elephant	코끼리
118	boy	소년	276	end	끝(내다)
119	brain	뇌			
120	brake	멈추는 장치			
121	branch	가지			
122	brand	상표			
123	brave	용감한			
124	bread	빵			
125	break	부서지다			
126	breakfast	아침식사			
127	bridge	다리			
128	bright	밝은			
129	bring	가져오다			
130	brother	형제			
131	brown	갈색			
132	brush	붓, 빗			
133	bubble	거품			
134	bug	벌레			
135	build	짓다			
136	burn	태우다			
137	business	사업			
138	busy	바쁜			
139	but	그러나			
140	button	단추			
141	buy	사다			
142	by	~에 의해, ~옆에			
143	cage	(새)장			
144	calendar	달력			
145	call	부르다			
146	calm	차분한			
147	can	~할 수 있다			
148	candy	사탕			
149	cap	모자			
150	captain	대장			
151	car	자동차			
152	care.	신경쓰다			
153	carrot	당근			
154	carry	나르다			
155	cart	수레			
156	case	경우, 통			
157	cash	돈			
158	castle	성			

1~10단에 수록된 것과 중복된 경우는 1~10단으로 표기했습니다. (1 2 3 4 5 6 7 8 9 10 확장패턴, 확장패턴 하단)
800단어 중에 아빠표 영어 구구단 시리즈에 수록되지 않은 단어는 총 315개 입니다.
salty가 있으므로 salt는 포함 단어로 했고, writer과 writing이 있으므로 write는 있는 단어로 했습니다.
선생님께서 수업 한 번에 1~2단(1단a~animal, 2단another~beauty, 총 21단)을 함께 읽어보고, 숙제로 외워오는 것도 좋습니다.

277 engine	엔진	316 fire	불	355 girl	소녀	394 heaven	천국	433 inside	안쪽	470 line	선물	509 mouth	입술

277 engine 엔진
278 engineer 기술자
279 enjoy 즐기다
280 enough 충분한
281 enter 들어가다
282 eraser 지우개
283 error 오류
284 evening 저녁
285 every 개개의
286 exam 시험(보다)
287 example 예
288 exercise 운동하다
289 exit 출구, 나가다
290 eye 눈

291 face 얼굴,마주하다
292 fact 사실
293 factory 공장
294 fail 실패하다
295 fall 떨어지다
296 family 가족
297 famous 유명한
298 fan 선풍기
299 fantastic 환상적인
300 far 먼
301 farm 농장
302 fast 빠른
303 fat 살찐
304 father 아버지
305 favo(u)rite 가장좋아하는
306 feel 느끼다
307 fever 열(이나다)
308 field 들판, 분야
309 fight 싸움(을 하다)
310 file 서류
311 fill 채우다
312 find 찾다
313 fine 좋은
314 finger 손가락
315 finish 끝(내다)

316 fire 불
317 fish 물고기
318 fix 고치다
319 flag 깃발
320 floor 바닥
321 flower 꽃
322 fly 날다
323 focus 초점(을 맞추다)
324 fog 안개
325 food 음식
326 fool 바보
327 foot 발
328 football 축구
329 for ~을 위해
330 forest 숲
331 forever 영원히
332 forget 잊다
333 form 형태(를 만들다)
334 fox 여우
335 free 자유로운
336 fresh 신선한
337 friend 친구
338 frog 개구리
339 from ~로 부터
340 front 앞
341 fruit 과일
342 fry 튀기다
343 full 가득찬
344 fun 재미있는
345 future 미래

346 garden 정원
347 gate 문
348 gentleman 신사
349 gesture 몸짓
350 get 생기다
351 ghost 귀신
352 giant 거인
353 gift 선물
354 giraffe 기린

355 girl 소녀
356 give 주다
357 glad 기쁜
358 glass 유리(컵)
359 glove 장갑
360 glue 풀
361 go 가다
362 goal 목표
363 god 신
364 gold 금
365 good 좋은
366 goodbye 잘 가
367 grandfather 할아버지
368 grape 포두
369 grass 풀
370 great 대단한
371 green 초록색
372 grey / gray 회색
373 ground 땅
374 group 집단
375 grow 자라다
376 guess 추측하다
377 guide 안내(하다)
378 guy 사내

379 habit 습관
380 hair 머리카락
381 hand 손
382 handsome 잘생긴
383 hang 매달리다
384 happy 행복한
385 hard 딱딱한, 어려운
386 hat 모자
387 hate 싫어하다
388 have 가지다
389 he 그(남자)
390 head 머리
391 headache 두통
392 heart 심장, 마음
393 heat 열, 뜨겁게 하다

394 heaven 천국
395 heavy 무거운
396 helicopter 헬리콥터
397 hello (hey / hi) 안녕
398 help 돕다
399 here 여기
400 hero 영웅
401 high 높은, 높게
402 hill 언덕
403 history 역사
404 hit 치다
405 hobby 취미
406 hold 잡고 있다
407 holiday 휴일
408 home 가정
409 homework 숙제
410 honest 정직한
411 honey 꿀
412 hope 소망(하다)
413 horse 말
414 hospital 병원
415 hot 뜨거운
416 hour 시간
417 house 집
418 how 어떻게, 얼마나
419 however 그러나
420 human 인간
421 humo(u)r 유머
422 hundred 백(숫자)
423 hungry 배고픈
424 hunt 사냥(하다)
425 hurry 서두르다
426 husband 남편
427 I 내가, 나는
428 ice 얼음
429 idea 발상
430 if ~한다면
431 important 중요한
432 in ~안에

433 inside 안쪽
434 into ~안으로
435 introduce 소개하다
436 invite 초대하다
437 it 그것은, 그것을
438 jeans 청바지
439 job 직업
440 join 합류(하다)
441 joy 기쁨
442 just 단지
443 keep 유지하다
444 key 열쇠
445 kick 차다
446 kid 아이
447 kill 죽이다
448 kind 종류,친절한
449 king 왕
450 kitchen 부엌
451 knife 칼
452 know 알다
453 lady 숙녀
454 lake 호수
455 land 땅
456 large 큰
457 last 마지막,지난
458 late 늦은
459 lazy 게으른
460 leaf 나뭇잎
461 learn 배우다
462 left 왼쪽,남겼다
463 leg 다리
464 lesson 수업
465 letter 편지
466 library 도서관
467 lie 거짓말하다, 눕다
468 light 빛, 가벼운
469 like 좋아하다

470 line 선물
471 lion 사자
472 lip 입술
473 listen 귀기울이다
474 little 작은
475 live 살다
476 livingroom 거실
477 long 긴
478 look 보다
479 love 사랑(하다)
480 low 낮은
481 luck 운
482 lunch 점심식사
483 mad 미친
484 mail 우편물
485 make 만들다
486 man 남자,사람
487 many (수가) 많은
488 map 지도
489 marry 결혼하다
490 math(ematics) 수학
491 may ~할 것 같다, 5월
492 meat 고기
493 meet 만나다
494 memory 기억
495 middle 중간
496 might ~할 지도 모른다
497 milk 우유
498 mind 마음
499 mirror 거울
500 miss 놓치다, 그리워하다
501 money 돈
502 monkey 원숭이
503 month 달(날짜)
504 moon 달
505 morning 아침
506 mother 어머니
507 mountain 산
508 mouse 쥐

509 mouth 입술
510 move 움직이다
511 movie 영화
512 much (양이) 많은
513 museum 박물관
514 music 음악
515 must ~해야 한다
516 name 이름(짓다)
517 nation 국가
518 nature 자연
519 near 가까운
520 neck 목
521 need 필요(하다)
522 never 절대 ~하지 않다
523 new 새로운
524 newspaper 신문
525 next 다음
526 nice 좋은
527 night 밤
528 no (nope / nay) 아니
529 noon 12시 정각
530 north 북쪽
531 nose 코
532 not ~이 아닌
533 note 메모
534 nothing 아무것도 없음
535 now 지금
536 number 숫자
537 nurse 간호사

538 ocean 대양(바다)
539 of ~의
540 off ~에 떨어져서
541 office 사무실
542 often 자주
543 oil 기름
544 old 오래된, 나이든
545 on ~에 접촉해서
546 one 사람한명,물건한개

547 only	오직	586 problem	문제	623 school	학교	663 song	노래	702 textbook	교과서	741 under	~아래에	779 will	~할 것이다
548 open	열다,열린	587 puppy	강아지	624 science	과학	664 sorry	미안한,유감인	703 than	~보다	742 understand	이해하다	780 win	이기다
549 or	또는	588 push	밀다	625 scissors	가위	665 sound	들리다,소리	704 thank	감사하다	743 up	위로	781 wind	바람
550 out	밖에	589 put	놓다	626 score	점수	666 sour	신(맛)	705 that	저(것)	744 use	사용하다	782 window	창문
551 over	~위에	590 puzzle	퍼즐	627 sea	바다	667 south	남쪽(의)	706 the	그	745 vegetable	야채	783 wish	소망(하다)
				628 season	계절	668 space	공간	707 there	거기(에서)	746 very	아주	784 with	~와 함께
552 P.M./p.m.	오후(시간)	591 queen	여왕	629 see	보(이)다	669 speak	말하다	708 they	그들은,그들이	747 visit	방문하다	785 woman	여자
553 paint	칠하다	592 question	질문	630 sell	팔다	670 speed	속도	709 thing	~것	748 voice	목소리	786 wood	나무
554 palace	궁전	593 quick	빠른	631 send	보내다	671 spoon	숟가락	710 think	생각하다			787 word	단어
555 pants	바지	594 quiet	조용한	632 she	그녀가,그녀는	672 stand	서다,견디다	711 thirst	목마름	749 wait	기다리다	788 work	일하다
556 paper	종이			633 ship	배	673 start	시작하다	712 this	이(것)	750 wake	깨(우)다	789 world	세계
557 parent	부모	595 rabbit	토끼	634 shock	충격(을 주다)	674 stay	머물다	713 tiger	호랑이	751 walk	걷다	790 worry	걱정하다
558 park	공원	596 race	경주	635 shoe	신발	675 stone	돌	714 time	시간,때	752 wall	벽	791 write	쓰다
559 part	부분	597 rain	비	636 shop	가게	676 stop	멈추다	715 to	~로	753 want	원하다	792 wrong	틀린
560 pass	건네다	598 rainbow	무지개	637 short	짧은	677 store	가게	716 today	오늘	754 war	전쟁	
561 pay	지불하다	599 read	읽다	638 should	~해야 한다	678 story	이야기	717 together	함께	755 warm	따뜻한	793 year	년
562 peace	평화	600 ready	준비된	639 show	보여주다	679 strawberry	딸기	718 tomorrow	내일	756 wash	씻다	794 yellow	노란색
563 pear	배	601 red	붉은색	640 shy	부끄러운	680 street	거리	719 tonight	오늘밤	757 watch	지켜보다	795 yes (yeah/yep)	그래
564 pencil	연필	602 remember	기억하다	641 sick	아픈	681 stress	스트레스	720 too	너무	758 water	물(을 주다)	796 yesterday	어제
565 people	사람들	603 restaurant	식당	642 side	면,쪽,편	682 strong	강한	721 tooth	치아	759 watermelon	수박	797 you	너는,너를
566 pick	집다, 고르다	604 restroom	화장실	643 sing	노래하다	683 student	학생	722 top	꼭대기	760 way	길,방법	798 young	어린,젊은
567 picnic	소풍	605 return	돌려주다,돌아오다	644 sister	자매	684 study	공부하다	723 touch	만지다			
568 picture	그림,사진	606 rich	부자인,풍부한	645 sit	앉다	685 subway	지하철	724 tour	관광	761 we	우리는,우리가	799 zebra	얼룩말
569 pig	돼지	607 right	옳은,오른쪽	646 size	크기	686 sugar	설탕	725 tower	탑	762 wear	입다	800 zoo	동물원
570 pink	분홍색	608 ring	반지	647 skin	피부	687 sun	태양	726 town	마을	763 weather	날씨	
571 place	장소,놓다	609 river	강	648 skirt	치마	688 supper	저녁식사	727 toy	장난감	764 wedding	결혼	
572 plan	계획(하다)	610 road	길	649 sky	하늘	689 swim	수영하다	728 train	기차,훈련시키다	765 week	주	
573 play	놀다,연주하다	611 rock	돌,바위	650 sleep	자다			729 travel	여행하다	766 weekend	주말	
574 please	부탁드립니다	612 roof	지붕	651 slow	느린	690 table	식탁	730 tree	나무	767 weight	무게	
575 pocket	주머니	613 room	방	652 small	작은	691 tail	꼬리	731 triangle	삼각형	768 welcome	환영받는	
576 point	가리키다	614 run	달리다	653 smart	똑똑한	692 take	가져가다	732 trip	여행(하다)	769 well	잘	
577 police	경찰서			654 smell	냄새나다	693 talk	말하다	733 true	사실인	770 west	서쪽	
578 poor	가난한	615 sad	슬픈	655 smile	웃다	694 tall	키가 큰	734 try	시도하다	771 wet	젖은	
579 potato	감자	616 safe	안전한	656 snow	눈	695 tape	테이프	735 turn	돌다,바뀌다	772 what	무엇이,무엇을	
580 power	힘	617 sale	판매,할인	657 so	그래서,아주	696 taste	맛보다,맛이나다	736 twice	두 번	773 when	언제	
581 present	현재,선물	618 salt	소금	658 soccer	축구	697 teach	가르치다	737 type	종류	774 where	어디에서	
582 pretty	예쁜,꽤	619 same	같은	659 sock	양말	698 teen	십대			775 white	하얀색	
583 prince	왕자	620 sand	모래	660 soft	부드러운	699 telephone	전화기	738 ugly	못생긴	776 who	누구	
584 print	인쇄하다	621 save	아끼다,구하다	661 some	약간의	700 tell	말하다	739 umbrella	우산	777 why	왜	
585 prize	상	622 say	말하다	662 son	아들	701 test	시험(보다)	740 uncle	삼촌	778 wife	아내	